J Sp Steven
Stevenson Steve
El diario del capitan
Barracuda

1a ed.

$16.50
ocn747534402
02/15/2012

D1466362

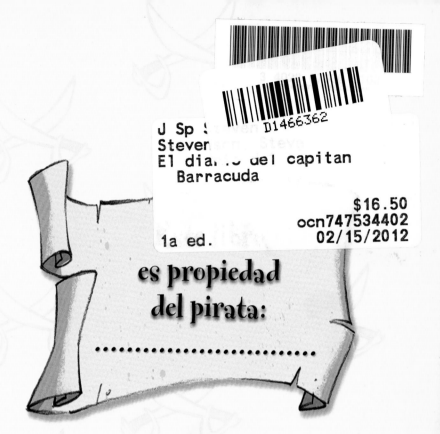

es propiedad
del pirata:

....

'WITHDRAWN

LOS LOBITOS DE MAR

Cinco, como los dedos de una mano,
estudian el primer curso en la Escuela de Piratas
y aspiran a convertirse en expertos bucaneros

Jim

Inteligente y audaz, está siempre dispuesto a sacar a sus amigos de cualquier apuro. Es de origen inglés.

Antón

Flaquito y un poco cobardica, siempre se está quejando de todo... Tiene orígenes franceses.

Ondina

La única chica de la tripulación posee una habilidad insólita: habla con los peces. Es portuguesa.

Babor y Estribor

Los dos enormes y requeterrubios hermanos noruegos se parecen como dos gotas de agua y... ¡no hacen más que meterse en líos!

LOS CAPITANES

Los maestros Pirata tienen el título de capitán y cada uno de ellos enseña una asignatura distinta de la piratería.

Hamaca

Holgazán y dormilón, el profesor de los Lobitos de Mar es maestro de Lucha porque... reparte golpes como pocos en el mundo.

Shark

El maestro de los Tritones está lleno de cicatrices dejadas por tiburones y medusas. Enseña Navegación.

Letisse Lutesse

Es maestra de Esgrima.
Bonita y siempre elegantísima,
se le considera la pirata más
hermosa del mar de los Satánicos.

Sorrento

El maestro de Cocina
prepara el mejor caldo
del mar de los Satánicos.
A base de medusas, claro está.

Vera Dolores

Maestra de las Cintas Negras,
la imponente enfermera de la
isla es supersticiosa hasta
extremos inverosímiles y una
apasionada de los horóscopos.

Título original: *El diario del capitán Barracuda*

Primera edición: octubre de 2011

© 2008 Dreamfarm
© 2008 Steve Stevenson, del texto
© 2008 Stefano Turconi, de las ilustraciones
© 2011 Julia Osuna Aguilar, de la traducción
© 2011 Libros del Atril S.L., de esta edición
Av. Marquès de l'Argentera, 17. Pral. 1.ª
08003 Barcelona
www.piruetaeditorial.com

Impreso por Egedsa
Rois de Corella, 12-16, nave 1
08205 Sabadell (Barcelona)

ISBN: 978-84-15235-21-7
Depósito legal: B-25338-2011

Reservadoss todos los derechos

Sir Steve Stevenson

La Escuela de Piratas

El diario del capitán Barracuda

Ilustraciones de Stefano Turconi

pirueta

A Emma, Bianca y Viola

Prólogo
Comienza la aventura...

La Escuela de Piratas había quedado completamente asolada. ¡Todo por culpa del terrible pirata Jack *Parche Negro* y sus dos compinches, los hermanos Dragokán y Sapokán, quienes habían asaltado el acantilado de las Medusas y habían hecho prisioneros a los maestros y a las tripulaciones!

Tras miles de peripecias, los Lobitos de Mar habían logrado salvar a los alumnos y a los profesores provocando la erupción del volcán de la isla. Se habían ganado así el reconocimiento del director, el

capitán de los capitanes, Argento Vivo, aunque, por desgracia, la lava lo había arrasado todo, incluida la escuela…

Empezaba así el segundo curso en unas condiciones pésimas. Por todas partes se oían los ¡TAM, TAM! de los martillos, los ¡ZIZ, ZIZ! de las sierras, y los ¡IZAD! de los alumnos que construían las nuevas cabañas.

El ritmo de los Lobitos, sin embargo, era lento en comparación con sus compañeros. En ese momento tenían un problema urgente: ¡arreglar el tejado de su cabaña!

—El chaparrón de esta noche ha sido horrible —dijo Ondina tiritando.

—Nosotros hemos pillado un resfriado terrible —se lamentaron Babor y Estribor, agitando sus sucios pañuelos. Nada más decirlo se pusieron de nuevo a estornudar…

—¡Si por lo menos tuviésemos una escalera! —suspiró Ondina—. ¿Cómo vamos a poner bien la paja del tejado si no podemos subir?

El inglesito Jim dejó en el suelo los clavos y el martillo.

—Solo hace falta un poco de trabajo en equipo, amigos —respondió—. Si nos organizamos, ¡esta noche tendremos un tejado estupendo!

—¿Trabajo en equipo? ¡Pamplinas! —espetó el francés Antón sacudiéndose el polvo de la chaqueta—. ¡Aquí lo que hace falta es el genio de un gran carpintero!

—¿De un gran carpintero? ¿Y de dónde lo sacamos? —preguntó Jim.

—A lo mejor el capitán Hamaca entiende de eso… —aventuró Ondina.

—¡Imposible! Nuestro maestro está ocupado con la nueva tripulación.

Los chicos se volvieron hacia la playa, donde el

capitán Hamaca enseñaba sus formidables técnicas de lucha a la nueva tripulación del primer curso, los impopulares Raspitas de Pescado. Eran cinco piratillas indisciplinados, todo lo contrario de los diligentes Tritones, quienes habían terminado ya la escuela y se habían embarcado con el capitán Shark en una peligrosa expedición.

–Entonces, ¿quién va a ser el famoso carpintero? –preguntaron Babor y Estribor, sin poder contener ya la curiosidad.

Antón hizo una reverencia teatral.

–¡Lo tenéis delante de vuestras narices, mis queridos compañeros! –anunció con una sonrisa.

Jim y Ondina resoplaron ante la fanfarronada de Antón. ¿Ahora se creía un experto carpintero? Pero ¡si ni siquiera era capaz de ponerse las botas él solito!

Babor pegó un tremendo estornudo y, mientras se

estaba sonando la nariz, dijo con tono enfurruñado:

—¿Por qué no escuchamos el plan de Antón?

—Estoy contigo, hermanito —coincidió Estribor—. Estoy harto de levantarme hecho una sopa. ¡Y encima con este viento!

Ante aquellas malas caras, Jim tuvo que ceder:

—¡Bien, te escuchamos! ¿Qué tienes pensado hacer? —preguntó entre suspiros.

Frotándose las manos por la excitación, Antón empezó a explicar su proyecto: señaló el tejado de la cabaña, un barril, una tabla y un montón de paja…

—¿CÓMO? —lo interrumpió Ondina—. ¿Una catapulta para lanzar la paja al tejado?

Antón hizo una mueca y preguntó enfadado:

—¿Acaso tienes una idea mejor?

Los niños se quedaron pensativos, en silencio: ninguno tenía ganas de pasar otra noche al raso.

Jim se rascó la pelirroja melena y luego resolvió:

–Vale, probemos a ver qué pasa…

Radiante, Antón empezó a dar órdenes:

–Venga, poned la tabla sobre el barril… Ondina y Jim, sujetadla bien, que no se caiga. Ahora poned un buen montón de paja encima de un extremo de la tabla… ¡más, más! –Una vez que la catapulta estuvo preparada, llevó aparte a los hermanos noruegos–. A mi señal, sentaos de golpe en el otro extremo de la tabla. La catapulta mandará la paja al tejado –dijo sin vacilar.

Prólogo

Jim y Ondina intercambiaron una mirada de desconfianza.

—¿Preparados? ¿Listos? —preguntó Antón con un brazo en alto—. ¡YA!

Babor y Estribor aposentaron sus pesados traseros sobre la tabla y la paja voló arrastrada por el viento… y voló… voló…

… desperdigándose por doquier, ¡salvo por el tejado de la cabaña!

En ese preciso instante apareció el capitán Hamaca acompañado por los Raspitas de Pescado.

—Por todas las barracudas desdentadas, ¿qué habéis liado ya? —bramó el profesor.

Por desgracia, la penosa jornada de los Lobitos de Mar no había hecho más que empezar…

1
El Valle
Incinerado

Los Lobitos de Mar estaban cubiertos de paja de los pies a la cabeza y nunca habían sentido tanta vergüenza delante de un maestro.

El capitán Hamaca se disponía a echarles la bronca, pero miró de reojo a los Raspitas de Pescado, que se estaban tirando puñados de paja, y cambió de expresión.

—Tengo una idea —dijo con el rostro iluminado—. ¿Hacemos un trato?

Los Lobitos se quedaron desconcertados, sin saber qué decir.

Capítulo 1

—Yo termino el tejado de vuestra cabaña —propuso el profesor— y vosotros me liberáis un rato de los Raspitas de Pescado.

Sin esperar una respuesta, el capitán Hamaca giró sobre sus talones y se fue en busca de una escalera mientras farfullaba:

—Llevaos a esos briboncetes lejos de aquí. El Valle Incinerado puede estar bien… ahí no podrán

hacer trastadas. ¡Os espero para la hora de comer! —concluyó.

De mal en peor: ¡los Raspitas de Pescado eran la tripulación más cafre de todos los tiempos! Cinco chiquillos enclenques y pequeñajos de aspecto angelical que, en realidad, nunca paraban quietos y habían agotado ya la energía y la paciencia de todos los maestros de la Escuela de Piratas.

Jim se quedó de piedra.

—El capitán Hamaca nos ha hecho una buena faena, chicos —les dijo a sus compañeros—. Mantener a raya a estos cafres no va a ser fácil.

Ondina hundió las manos en sus cabellos, mientras Babor y Estribor se quedaban contemplando desconsolados a la tripulación de los Raspitas sin dejar de sonarse la nariz.

—¡En situaciones más peligrosas nos hemos visto!

—exclamó sin embargo Antón, avanzando con paso decidido hacia los Raspitas de Pescado—. Vais a ver cómo estos novatillos reconocen mi autoridad y me obedecen sin rechistar.

El resto de Lobitos sacudieron la cabeza: ¡su amigo francés no solo se creía un genial carpintero, sino también un comandante!

—Ejem… —empezó a decir Antón—. ¡Raspitas de Pescado, a formar!

Para estupor general, los cinco críos se pusieron firmes de un brinco, saludaron y gritaron:

—¡A sus órdenes, almirante Antón!

El joven francés se puso colorado de la vergüenza.

—Amm… ¿almirante Antón? —balbuceó. ¡Nadie le había llamado nunca con un título tan importante!

—Conocemos de memoria sus grandes hazañas, almirante —proclamó uno de los mocosos—. ¡Como cuando capturó un rorcual azul con un solo brazo!

El Valle Incinerado

Antón no recordaba ese episodio en particular pero se volvió hacia sus compañeros henchido de orgullo.

—¿Lo habéis oído? —susurró—. ¡Soy su ídolo!

—Bien, almirante Antón —intervino Jim en voz alta—. ¿Qué hacemos ahora?

Los Lobitos de Mar y los Raspitas de Pescado formaron un círculo cerca de la cabaña y aguardaron las órdenes de Antón, que parecía atribulado.

—¿Alguna sugerencia? —preguntó a sus compañeros de tripulación.

—El que toma las decisiones eres tú, almirante —dijo Ondina en tono de burla.

—¿Dónde nos vas a llevar, comandante? —preguntó entre risas Babor.

—¡Queremos ver el volcán! —corearon los Raspitas.

Jim y Ondina se taparon las orejas ante los gritos, mientras que Babor y Estribor sufrían otro terrible ataque de estornudos…

—Es que... el volcán es demasiado peligroso, chicos —se excusó Antón—. Y el capitán Hamaca nos ha recomendado un sitio más bonito: el Valle Incinerado.

—¡Viva! —gritaron felices los cinco Raspitas de Pescado—. ¡Partamos a la aventura!

Cogieron a su héroe por los faldones de la chaqueta y lo arrastraron hasta la playa. Antón los condujo veloz entre los acantilados, por un sendero secreto.

Agotados por la carrera, los demás Lobitos iban cerrando la marcha.

El Valle Incinerado

—¡Son un auténtico torbellino! —comentó Babor.

—¿Nosotros éramos iguales el primer año? —preguntó su hermano Estribor.

—A veces todavía lo sois —se inmiscuyó Jim.

El Valle Incinerado era un lugar desolado donde, como había dicho el capitán Hamaca, iba a ser difícil que la nueva tripulación se metiese en líos. Estaba confinado entre el volcán y el mar. La llanura había quedado carbonizada por el paso de la lava: al sur había un bosquecillo quemado, mientras que por el este unas altas rocas ennegrecidas cerraban el valle y un río impetuoso corría al oeste.

Cuando los Lobitos llegaron, Antón estaba relatando a la nueva tripulación cómo se había enfrentado al temible Jack *Parche Negro*. Aunque se había adjudicado todo el mérito de la empresa, por lo menos los Raspitas de Pescado estaban sentados en las rocas escuchándolo. Solo decían:

«¡Espectacular!», «¡Qué valiente!», «¡Eres nuestro héroe!». Al final del relato lo aplaudieron, provocando grandes risas y nuevos estornudos de Babor y Estribor.

Entre tanto, Ondina se había agachado para medir la capa de cenizas del terreno. ¡En algunos puntos era de más de un palmo!

Se lo comentó a Jim, que puso cara de preocupación.

—Menos mal que aquí no corre el viento, con una sola ráfaga se levantaría tanto polvo que no se vería nada de nada —observó.

Por desgracia para él, el intrépido inglés no se había dado cuenta de que uno de los Raspitas lo estaba escuchando. El niño, con cara de pillo, susurró algo al oído de un compañero de tripulación…

… que le murmuró a un tercero…

28

El Valle Incinerado

… que le fue con el cuento al cuarto…

… ¡que por último se lo contó al quinto!

En cuestión de segundos, los Raspitas echaron a correr en todas direcciones, revolviéndose como posesos y levantando la ceniza con manos y pies. En la hondonada se formó un nubarrón impenetrable de polvo gris. En el tumulto general se oyeron gritos, estornudos, toses, risas, estruendos y pataleos.

La ceniza tardó un buen rato en depositarse de nuevo en el suelo…

… ¡y para entonces los cinco Raspitas de Pescado se habían esfumado!

¿Dónde se habían metido?

2
Los rápidos...
¡rapidísimos!

Los Lobitos se sacudieron la ceniza de la ropa mientras se culpaban los unos a los otros por lo sucedido. Todos la tomaron especialmente con Antón.

—¡Almirante de pacotilla! —lo reprobó Ondina—. ¡Tendrías que haberlos metido en cintura en vez de tanto presumir!

—¿Qué? ¿Cómo? —se quejaba el joven francés, ofendido—. Ni siquiera Babor y Estribor, con lo grandes y gordos que son, han podido detenerlos.

—Yo estaba estornudando —se disculpó uno.

—Y yo tosiendo —se excusó el otro.

Como de costumbre, fue el inglés Jim quien devolvió la calma a la tripulación.

—No tiene sentido discutir —afirmó con decisión, interponiéndose entre sus amigos—. ¡El capitán Hamaca nos ha confiado a los alumnos de la nueva tripulación y tenemos que encontrarlos a toda costa! Los Lobitos se separaron y empezaron a rastrear el valle con los ojos pegados al suelo, en busca de posibles huellas sobre la ceniza.

Tras explorar por las laderas del volcán, Babor y

Estribor proclamaron no haber encontrado nada. Otro tanto hizo Ondina, que había buscado por las rocas, y por último Jim, que había mirado en el bosquecillo quemado. Pero de repente…

—¡Aquí están! —gritó Antón—. ¡Un montón de pisadas de botas!

Los chicos corrieron hasta él, a la orilla del río.

—Los Raspitas de Pescado han llegado aquí y han atravesado los rápidos —dijo Antón exaltado—. Mirad, ¡las huellas de la ribera son de piececillos minúsculos!

—Hum… —dudó Jim—. Piececillos minúsculos… ¿como los tuyos?

Sin pensárselo dos veces, Babor y Estribor cogieron a Antón por debajo de las axilas, lo levantaron con las piernas en el aire y entonces Jim le inspeccionó la suela de las botas. ¡Eran igualitas que las huellas que había en la ceniza!

—Son tus huellas, Antón —afirmó Jim sacudiendo la cabeza.

—¡Pues yo os digo que tengo razón! —graznó el joven francés—. ¡Son las huellas de los Raspitas de Pescado!

Jim meneó la cabeza, dubitativo, mientras Babor y Estribor soltaban al francés en el suelo como si fuera un saco de patatas.

Antón se levantó escupiendo hollín y gruñendo

como una marmita de medusas en ebullición.

Justo en ese momento Ondina reclamó la atención de sus amigos:

—¡Mirad allí abajo! —gritó con el brazo extendido—. ¡Hay algo que se mueve por las lindes de la selva!

Todos volvieron la vista y percibieron sombras que corrían veloces por la otra orilla del río.

Jim le dio una palmadita en la espalda a Antón.

—Pues tenías razón —admitió algo avergonzado—. ¡Ánimo, chicos, atravesemos los rápidos y atrapemos a los Raspitas de Pescado!

Enfurruñado, el muchacho francés se sentó en un peñasco cruzado de brazos.

—Quiero que os disculpéis, o si no, no me muevo de aquí —protestó.

Ondina, que conocía bien el carácter terco de su amigo, le dio un beso en la punta de la nariz.

—¿Te basta con eso? —le preguntó amablemente.

Antón se puso colorado como un tomate, sonrió de oreja a oreja y empezó a silbar alegres cancioncillas de piratas.

—¡Disculpas aceptadas, mi señora Ondina! —le dijo encaminándose feliz hacia la ribera.

Los demás lo siguieron, aguantando la risa. El río era hondo y corría veloz, con pequeños remolinos en el centro. Se había formado no hacía mucho, cuando la erupción del volcán había cambiado la geografía de la zona.

¿Cómo lo harían para atravesarlo? Y, ante todo, ¿cómo se las habían arreglado los cafres de los Raspitas de Pescado para cruzarlo?

Los Lobitos consultaron entre sí para fijar un plan de acción.

—Si intentamos cruzarlo a nado, los rápidos nos arrastrarán.

—¿Y no habrá ningún vado?

—Hum, ¡a saber lo lejos que está!

—¿Y si nos agarramos a un trozo de madera todos juntos?

—Buena idea, pero ¿dónde vamos a encontrar uno lo suficientemente grande?

Miraron a su alrededor. En su orilla solo había trozos de árboles carbonizados, mientras que en la orilla opuesta crecía una selva exuberante. Quedaba una única solución: ¡saltar al agua y agarrarse a un tronco arrastrado por la corriente!

No había tiempo que perder. Los chicos se subieron a la roca más alta y se prepararon para zambullirse.

Cuando vieron acercarse una rama frondosa, Jim gritó lo más alto que pudo:

—¡Ánimo, Lobitos, ahora!

Y entonces…

¡PLASS!

Y justo después…

¡GUACH!

El estruendo del río era impresionante, los Lobitos no oían ni sus propias voces. Diez manos asían hojas y ramas y diez piernas batían el agua al mismo ritmo. Pero la fuerza de los remolinos los hacía girar como peonzas…

Agotando todas las reservas de energía, los Lobitos lograron llegar a la orilla frondosa. Les castañeteaban los dientes y tiritaban de frío pero ¡lo habían conseguido!

Babor y Estribor entrechocaron las manos empapadas para luego dejarse caer sobre las piedras y empezar a estornudar.

—Me da vueltas la cabeza, ¿puedes parármela, hermanito? —preguntó el primero.

—¡La mía también está patas arriba! —se lamentó el segundo.

Capítulo 2

Solo Antón parecía radiante.

—¡Ya es casi mediodía, so zánganos! —les gritó en toda la oreja a sus amigos—. ¡Encontremos a los Raspitas y volvamos a la escuela!

—Me da a mí que tus besos en la nariz obran auténticos milagros —le susurró Jim a Ondina. Después se puso en pie lentamente e inspeccionó la selva.

Justo en ese momento tres sombras pequeñas se escabulleron entre la abundante vegetación.

3
¡Una mamá con malas pulgas!

—¡Corred, están por aquí!

—¡No, van por allí!

—Yo creo que están por aquel lado.

Los Lobitos de Mar sorteaban a todo correr los obstáculos de la selva: raíces enormes, arbustos espinosos, helechos gigantes. En aquel inmenso laberinto verde esmeralda, las sombras de los Raspitas de Pescado aparecían y desaparecían en un visto y no visto.

Después de varios minutos de carrera trepidante,

41

Capítulo 3

Jim no tuvo más remedio que detenerlos a todos.

—¡Hay… un… problema! —exclamó entre jadeos.

—¿Qué… problema? —preguntó Ondina con la lengua fuera.

Cuando consiguió respirar con normalidad, Jim expresó su opinión: los Raspitas de Pescado podían meterse en cualquier escondrijo y, si no encontraban una forma mejor de organizar la búsqueda, nunca los atraparían.

—¿Qué quieres decir? —bufó Antón sacándose del bolsillo una vieja brújula rota—. ¡Yo soy muy organizado!

—Lo que intento decir es que hay que usar la astucia, o si no, se nos escaparán.

—Y entonces, ¿qué propones?

Jim clavó en su amigo una mirada penetrante.

—Tenemos que montarnos en un árbol bien alto para tener una mejor panorámica del bosque —dijo con seriedad–. Podrías hacerlo tú, Antón…, al fin y al cabo eres el almirante, ¿no?

–Una idea estupenda –intervino Ondina–. Y cuando los hayas localizado, puedes llamar a asamblea, como un auténtico comandante.

La sola idea de subir a un árbol hizo que Antón se pusiera primero amarillo y luego verde.

–De eso ni hablar –dijo con rotundidad–. ¡Sabéis perfectamente que sufro de vértigo! –Acto seguido, ignorando las protestas jocosas de sus compañeros, se encaminó de nuevo hacia el río–. Yo me vuelvo a casa y ¡ay de quien intente detenerme…!

Pero un extraño ruido lo hizo parar en seco. Era una especie de gruñido.

Bajo un gran helecho había algo que se movía. Era… una bestia horrible. Tenía el pelaje erizado y marrón, un gran hocico rosa… ¡y dos colmillos amarillentos retorcidos hacia dentro!

—¡SOCORRO! —gritó Antón, regresando con sus amigos como gato sobre ascuas.

Pasó a la velocidad del rayo entre Jim y Ondina, evitando por un pelo chocar con Babor y Estribor.

—Por mil salmonetes enajenados, ¿qué es lo que ocurre? —preguntó Jim. Pero entonces vio a una cría de jabalí detrás de Antón y se echó a reír. —¡Un jabato! —exclamó Estribor salivando—. ¡Corre, Babor, vamos a darnos un banquete!

¡Una mamá con malas pulgas!

Los hermanitos noruegos se lo imaginaban ya bien doradito, con una guarnición de patatas asadas. Se abalanzaron como dos tiburones hambrientos sobre su presa y chocaron uno contra otro con un sonoro ¡BOING!, pero no se desanimaron y empezaron a seguirlo por el bosque.

¡La situación era aún más confusa que antes!

Antón huía por la selva acosado por una cría de jabalí, seguido de Babor y Estribor y, por último, de Jim y Ondina.

El jabatillo se deslizó rápidamente bajo una raíz de manglar y se reunió con otras dos crías entre los enormes colmillos de… ¡mamá jabalí! Se trataba de un animal de casi un metro de alto, todo colmillos y fuertes músculos, que gruñía a los Lobitos con una mirada feroz.

—¡Oh, oh! —dijo Jim.

—¡Sálvese quien pueda! —aullaron Babor y Estribor.

—¡Rápido, trepemos a los árboles! —exclamó Ondina.

Cuando mamá jabalí se lanzó a la carga, los niños ya estaban subidos a una planta de caucho…, todos salvo Antón, que se había agazapado en un zarzal.

Permanecieron en silencio varios minutos, mientras mamá jabalí daba vueltas al árbol arañando la tierra y mirando hacia arriba. También los tres jabatos gruñían y enseñaban los dientes con insolencia.

—Aquí tenemos a las sombras de la orilla del río —susurró Jim—. Eran los jabalíes pequeñitos que habían ido a abrevarse, no los Raspitas.

—Entonces, ¿hemos metido bien la pata? —preguntó Ondina, decepcionada.

—¡Me da a mí que sí! —suspiró Jim—. Hemos venido a la selva para nada.

Por suerte, mamá jabalí no tardó en cansarse de esperar y se alejó con su camada.

Los niños bajaron del árbol y ayudaron a Antón a desenmarañarse de las zarzas. Mientras el muchacho francés se lamentaba por el montón de espinas que tenía clavadas, Jim le informó de que se habían equivocado de camino.

—¿Cómo? —se sorprendió Antón—. Pues entonces, ¿de quién son esos jirones de ropa?

En efecto, había tiras de tela enganchadas en los matorrales de alrededor: eran rojas y azules, ¡al

47

igual que los trajes que llevaba la nueva tripulación!

—Mirad —dijo Ondina—. ¡Aquí hay más!

—Vale, sigámoslas —decidió Jim—. Pero permanezcamos todos juntos para no perdernos.

Los niños empezaron a seguir el rastro de tiras de colores, que los hizo adentrarse cada vez más en la selva.

La caminata solo se vio interrumpida para recu-

perar fuerzas con las bayas del sotobosque pero luego prosiguió a buen ritmo. El viento agitaba las hojas de los árboles, inundando la selva de sonidos siniestros.

—Como los coja, les retuerzo el pescuezo a esos condenados mocosos —bramó Antón.

—Pues solo tienen un año menos que nosotros —observó Ondina.

—¡Bah! Pero ellos no han vivido increíbles aventuras como nosotros —afirmó orgulloso el joven francés—. Y no tienen tanta experiencia… —De repente se interrumpió para indicarles por señas al resto que mirasen hacia arriba: había un jirón de tela azul que ondeaba en la copa de un árbol enorme.

—Algo me dice que los Raspitas de Pescado han decidido trepar —comentó Jim—. Hay más trozos de ropa en aquella planta de allí…

—Pues entonces, ¡ánimo, chicos, arriba! —festejó Ondina.

¡Antón se puso más blanco que un lenguado empanado!

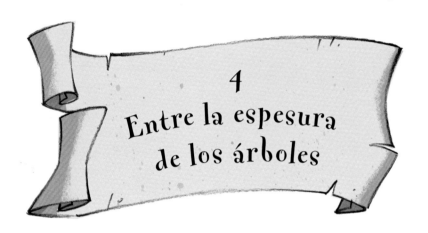

4
Entre la espesura de los árboles

Antón gesticulaba como un monillo para retener en tierra firme a sus compañeros.

—¡Esperad, chicos! —dijo sobresaltado—. ¡Tiene que haber otra solución! ¡Parémonos a razonar!

—Estoy demasiado resfriado para razonar —se disculpó Babor, mientras Estribor se sonaba la nariz en respuesta. Ondina ya estaba encaramada al árbol y esperaba apoyada en una recia rama.

Jim se disponía a trepar cuando Antón lo agarró

por un hombro. El inglesito se volvió y lo miró con impaciencia.

Antón le enseñó una especie de sable hecho con ramitas caídas.

—Me voy a quedar aquí para protegeros de las bestias feroces —propuso—. ¿Te parece bien, Jim?

—¿Feroces como los jabatillos? —se burló Ondina desde arriba—. ¿No será una estratagema para escaquearte del peligro?

—¡Del peligro no, del vértigo! —masculló Antón.

Jim reflexionó un instante: no sabía qué hacer para convencer a su amigo de que subiera al árbol. ¿Y si le contaba una trola? En el fondo Antón era muy inocentón y…

Le vino una idea. Llevó a su amigo donde el resto de niños no pudiera oírlos y le dijo en tono misterioso:

—Tengo que confesarte un secreto, mi querido Antón.

—¿Un secreto? ¿Qué secreto?

—No se lo he dicho a los demás porque no quería asustarlos —cuchicheó Jim—. Pero acabo de ver más jabalíes.

Antón se alarmó:

—¿Más jabalíes? ¿Cuántos?

—Te aconsejo que no se lo digas a nadie… —susurró Jim en tono conspirativo—. Yo diría que son por lo menos una decena. Mamá jabalí ha debido de llamar a los refuerzos…

Antón tragó saliva.

—Diez…

—A lo mejor más —admitió Jim—. Pero, por favor, que quede entre nosotros, ya sabes lo miedicas que son los otros… Tú, en cambio…

—Yo, en cambio… —repitió Antón como un papagayo amaestrado.

—Eres valiente, muy valiente…

Antón asintió, incapaz de soltar palabra, aunque también adulado por el cumplido.

—Yo soy muy valiente —se dijo, hinchando el pecho.

Jim le guiñó un ojo y se llevó un dedo a los labios.

Antón se detuvo ante el árbol, alzó la vista y tragó saliva. ¡Era realmente alto! Sin embargo, apretó los dientes y comenzó a subir con una agilidad sorprendente. Si era sincero consigo mismo, no había sido tanto la idea de ser muy valiente lo que le había dado alas, sino la de todos esos colmillos afilados. Sus amigos le fueron indicando los apoyos seguros y lo ayudaron a superar las dificultades.

En pocos minutos los cinco Lobitos llegaron a la cima y recogieron la primera tira de tela colorada.

Mientras los demás la examinaban, Ondina le susurró a Jim:

–Por todas las morenas, ¿cómo has conseguido convencer a Antón?

–Le he contado una trola bien gorda –sonrió el joven pirata–. Y se la ha tragado como si fuese langosta al vapor.

Pero ahora venía la parte difícil. Para recoger el siguiente trozo de tela los Lobitos tenían que saltar al árbol vecino, una planta altísima recubierta de lianas.

–Lo importante es no mirar nunca abajo –aconsejó Ondina antes de lanzarse sobre un mullido cojín de hojas.

Siguiendo el ejemplo de su amiga, Antón cerró los ojos, saltó y…

… aterrizó sobre las hojas con una pirueta.

–¡Soy un gran acróbata! –exclamó feliz. Luego miró sin querer abajo y le entró un ataque de vértigo. Sin embargo, a su lado estaban ya Babor y Estribor, que lo felicitaron por su valentía.

–Gracias, gracias… –agradeció Antón con una mueca.

Cuando Jim se reunió con sus amigos, comenzaron todos a subir… y subir… hasta que llegaron a la altura del jirón rojo. Allí arriba soplaba un viento muy fuerte, pero se podía admirar toda la selva…

–¡Sargazos y Satánicos, pero si es… una casa en un árbol! –gritó de repente Estribor.

Todos se volvieron para ver una extraña construcción sobre una gran planta aislada que se erguía en medio de un claro. Era una cabaña de madera y tenía pinta de estar abandonada; las plantas trepadoras la habían cubierto por completo y se colaban incluso por las ventanas.

—¡Ahí es donde se han escondido esos bribones! —se exaltó Ondina.

—La escala de cuerda está cortada —observó Jim—. Me juego algo a que han sido nuestros amigos los cafres.

—¿Y cómo los vamos a atrapar entonces?

—¡Se la van a cargar!

En un arrebato de valentía, Antón se puso en pie sobre una rama y chilló a voz en grito:

—¡Raspitas de Pescado, salid ahora mismo! ¡Os lo ordena vuestro almirante! —El eco reverberó por la selva—: ¡… ante… ante… ante!

Esperaron un minuto, dos, y al tercero comprendieron que el intento de Antón había fracasado. Todos a una empezaron a llamar a los Raspitas de Pescado, pero fue en vano.

—Están escondidos, esos condenados renacuajos —bufó Ondina.

—¿Quieren jugar al escondite? —preguntó enfadado Babor.

—Pero si ni siquiera hemos empezado a contar… —dijo Estribor.

Jim miró a su alrededor, buscó las lianas más largas y se las tendió a sus amigos.

—¿Preparados para volar hasta la cabaña? —preguntó resuelto.

—¡Allá vamos! —aullaron los hermanitos, lanzándose acto seguido con las lianas.

También Ondina se lanzó al aire sin miedo, pero a Antón, en cambio, le entró el tembleque…

—¡Esto es demasiado, demasiado para mí! —gimoteaba con la liana entre las manos—. Ni loco pienso vola…

La frase quedó interrumpida por un empujón de Jim que le hizo perder el equilibrio y lo proyectó al vacío.

—¡SOCORRO! —gritó el muchacho francés aferrado a la liana.

Su trayectoria era como una línea torcida, pero Babor y Estribor se inclinaron sobre el balcón de la cabaña y lograron agarrar a Antón por los pelos.

Los Lobitos de Mar se reencontraron sanos y salvos en aquel refugio colgante.

¿Y ahora? ¿Dónde se podían haber escondido los Raspitas de Pescado?

Jim les hizo una seña a sus amigos para que se mantuvieran en silencio.

Luego caminó sin hacer ruido por delante de las ventanas cubiertas de plantas trepadoras y se detuvo ante la entra-

Capítulo 4

da. El resto de niños se puso detrás de él y aguzó los oídos.

—¡A la carga, Lobitos! —ordenó Jim.

Cuando la puerta rechinante se abrió de par en par, todos se llevaron una desagradable sorpresa…

5
La casa
misteriosa

¡Por todas las ostras del mundo, los Raspitas de Pescado no estaban!

La estancia se encontraba a oscuras e invadida por las enredaderas. Había un montón de objetos tirados por el suelo, muebles estropeados por la lluvia y telarañas y polvo por todas partes.

—¡Esto está hecho un auténtico desastre! —se horrorizó Ondina—. ¡Tened cuidado por donde pisáis!

Los cinco Lobitos de Mar se movieron con gran cautela.

Miraron debajo de la mesa, dentro de los barriles, en los arcones polvorientos: no había ni rastro de sus compañeros de escuela…

Babor y Estribor se frotaban la nariz e intercambiaban miradas temerosas.

—Pero si los Raspitas de Pescado no están aquí… —dijo el primero con una vocecilla de desconsuelo—, ¿de quién eran los jirones de tela de colores?

—No temáis —les dijo Jim—. Siempre hay una explicación para todo.

Fue Ondina la que halló la explicación. Se había asomado a un ventanuco y había descubierto que había ropas viejas tendidas en la segunda planta.

—Esos ropajes de pirata son tan viejos que se han caído a pedazos —explicó con calma—. Algunos jirones habrán volado por toda la selva con este viento tan fuerte.

Los misterios, sin embargo, no habían acabado…

—¿Una segunda planta? —preguntó Estribor—. ¿Y cómo se llega?

En esa ocasión fue Jim quien resolvió el enigma.

—¡Por esta escalerilla tallada en la corteza! —dijo apoyando la mano en el tronco del centro de la habitación.

Los Lobitos no perdieron un segundo. Subieron a todo correr y abrieron la trampilla que había en el techo. La habitación de la segunda planta estaba sumida en la misma oscuridad absoluta.

—¡No se ve un pimiento! —gruñó Antón—. ¿Alguien ha traído la piedra de eslabón para la antorcha?

—Lo siento, se me ha olvidado en la escuela —se disculpó Ondina, que solía llevarla siempre encima—. Pero basta con abrir las ventanas. ¿No os parece?

Ondina avanzó a tientas por la oscuridad, tropezando varias veces con objetos que no veía. Cuando por fin llegó hasta la pared, abrió de par en par una gran ventana de dos hojas.

El cuarto se iluminó… ¡y la visión fue de todo menos bonita!

—¡AHHH! —gritaron los Lobitos, abrazándose del susto.

En un rincón de la habitación había una mecedora cubierta de telarañas. Sentado en ella, el esqueleto de un pirata los miraba con las cuencas vacías.

Babor y Estribor se taparon los ojos, Antón bajó las escaleras más rápido que una liebre, Ondina saltó al antepecho de la ventana…

… y solo Jim se quedó en el sitio e intentó calmar a sus amigos.

—Está más muerto que muerto —dijo con voz temblorosa—. No puede hacernos nada…

Lentamente los Lobitos volvieron adonde estaba Jim, aunque, eso sí, a cierta distancia del esqueleto.

—¿Seguro que no se mueve?

—A mí me parece más tieso que un bacalao en salazón…

—Tiene un tricornio, a lo mejor era capitán…

—Y… ¿qué está señalando con el dedo?

¡Caramba, era verdad! ¡La mano derecha del pirata apuntaba a un cofre que había en el suelo! ¿No se trataría de… un tesoro?

Los niños lo miraron con los ojos como platos, demasiado pasmados para moverse.

El primero en recobrarse fue Jim, que avanzó a paso de tortuga por la habitación. Rozó un poco la mecedora, que empezó a balancearse… ¡y el brazo del esqueleto cayó al suelo!

¡Los gritos de terror se oyeron por todo el acantilado de las Medusas!

En medio de la estampida general, los Lobitos no miraron siquiera dónde ponían los pies. Armaron un buen jaleo, volcando a su paso con gran estruendo más muebles y objetos.

Al final se juntaron los cinco en el exterior de la cabaña…

… y por suerte ¡Jim había cogido el misterioso cofre!

—¿Quién habrá construido esta casa? —preguntó Ondina mirando asustada alrededor.

—Puede que fuese la morada de un náufrago o de un pirata solitario —respondió Jim.

—A lo mejor si abrimos el cofre, resolvemos el

misterio –propuso Antón–. ¡O encontramos muchos, muchísimos doblones de oro!

Los Lobitos se pusieron en pie de un brinco y rodearon a Jim. La cerradura estaba herrumbrosa pero, por suerte, no estaba cerrada con llave. El niño levantó la tapa y…

—¿Un… libro? —exclamaron los Lobitos al unísono.
Era un pesado volumen escrito a mano y titulado:

BAJEL *VICTORY*
DIARIO DE A BORDO
Capitán William Barracuda

Los muchachos resoplaron desconcertados. ¿Para qué querían aquel manuscrito? ¿Y cuánto tiempo se tardaría en leer ese mogollón de páginas?

—¡No hemos encontrado a los Raspitas de Pescado ni tampoco un tesoro! —refunfuñó decepcionado Antón, mientras veía cómo se ponía el sol por el horizonte.

—No nos queda más remedio que volver a la escuela —admitió Jim metiéndose el libro bajo la camisa—. Esta vez el capitán Hamaca nos va a liar una buena.

71

Capítulo 5

Sumidos en el desaliento, los Lobitos de Mar cogieron las lianas, volvieron al árbol del que se habían lanzado y luego descendieron a tierra y pusieron rumbo a la escuela.

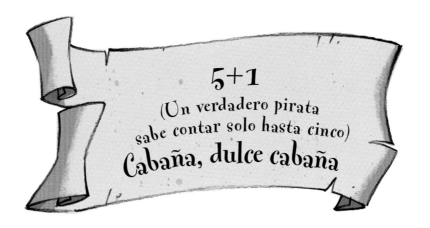

5+1

(Un verdadero pirata sabe contar solo hasta cinco)

Cabaña, dulce cabaña

El regreso a casa fue mucho más fácil: los Lobitos bordearon el río hasta encontrar un vado por donde el agua corría baja y en calma.

Después desembocaron en un sendero que ya conocían y lo recorrieron en fila india. En todo el trayecto no intercambiaron siquiera una palabra, hasta tal punto estaban preocupados por la suerte de los Raspitas de Pescado.

Llegaron a la cabaña al anochecer. El capitán Hamaca los estaba esperando con el pecho sacado

y los brazos cruzados. ¡Saltaba a la vista que estaba enfadado!

—Por todos los mares tempestuosos, ¿dónde os habíais metido? —tronó.

Los Lobitos de Mar no se atrevían a alzar la vista. El capitán Hamaca se llevó los puños a los costados.

—¿Queréis que me lleven los demonios? ¿Dónde habéis ido, pedazo de merluzos? —repitió.

El primero que reunió valor para hablar fue Antón.

—Lo sentimos, capitán Hamaca —gimoteó—. Los hemos buscado por todas partes, abajo en el río, en la selva, pero ¡se los ha tragado la tierra!

—Por mil escorpinas, ¿de quién habláis? —rugió el profesor.

Jim empezó a contarle los acontecimientos de la jornada, abochornado…

… pero ¡Hamaca le interrumpió casi al instante!

—¿Os habéis vuelto locos? —gruñó—. Los Raspitas de Pescado han vuelto pronto a la escuela y luego me han ayudado a terminar vuestra cabaña.

¿Que qué?

¿Que habían vuelto antes que ellos?

Los Lobitos intercambiaron una mirada de perplejidad.

—¿Está realmente seguro, capitán? —tanteó Antón—. Porque ha de saber que…

—¿Osas dudar de la palabra de un capitán, mocoso? —le gritó en todo el oído el profesor. Antón se encogió como un caracol y se refugió detrás de Babor.

—Los Raspitas de Pescado se han pasado la tarde

arreglándoos el tejado —prosiguió Hamaca—. Y luego han cenado con el resto de alumnos, y a esta hora estarán ya durmiendo.

En ese preciso instante un miembro de la nueva tripulación salió de su cabaña y se desperezó.

—¿A qué viene tanto ruido? —preguntó entre bostezos.

¡Entonces era cierto! ¡Los Raspitas de Pescado llevaban todo ese tiempo en la escuela, vivitos y coleando!

—Vuelve a la cama, molusco —le dijo el profesor al joven alumno—. Que no se me moleste mientras pienso un castigo para los Lobitos…

Ay, qué mal… ¡había llegado la hora del castigo! Hamaca empezó a caminar en círculos con aire pensativo.

—A ver, a ver —farfullaba—. A la cama sin cenar es poca cosa…

Entre tanto, Babor y Estribor estornudaban y se sonaban la nariz mientras Ondina comentaba desconsolada:

—No hay nada que hacer, la tripulación más cafre es siempre la nuestra…

Jim asintió y se dispuso a sentarse, pero antes se sacó el libraco de debajo de la camisa.

—¿Y eso qué es? —tronó Hamaca desconcertado.

—Lo que le estaba contando, maestro, que en la selva descubrimos una cabaña en un árbol… —comenzó tímidamente Jim.

—¡… con un esqueleto muy feo! —prosiguió Estribor.

Hamaca ya no los escuchaba. Le quitó el libro de las manos a Jim, leyó rápidamente el título y bizqueó…

—¿¡*El diario de a bordo del capitán Barracuda?!* —exclamó.

Sin perder tiempo, pegó un silbido estridente y

todos los profesores de la escuela acudieron a la carrera.

—Estamos metidos en un buen lío —gimió Antón—. ¡Ahora cada profesor nos pondrá su propio castigo! Ante aquella perspectiva los Lobitos de Mar se miraron consternados.

Sin embargo, sucedió todo lo contrario…

Los profesores hojearon el libro y se lo pasaron los unos a los otros, maravillados. Al final dieron la enhorabuena a los Lobitos de Mar:

—¡Un trabajo estupendo, Lobitos! —los felicitó la elegante Lutesse.

El capitán Sorrento propuso festejarlo con un caldo de medusa humeante, mientras que la extravagante capitana Dolores no paraba de chillar.

—¡Avisemos ahora mismo al capitán de los capitanes Argento Vivo! —propuso entusiasmada.

¿Molestar al director de la escuela por un libro?

Pero ¿por qué?

–Perdone, capitán Sorrento, pero ¿qué es lo que ocurre? –preguntó Jim.

Al maestro de cocina le sorprendió la pregunta.

Tras limpiarse las manos llenas de grasa en el delantal, les explicó:

–El capitán Barracuda fue uno de los pocos supervivientes del naufragio de los tres famosos bajeles que transportaban un fabuloso tesoro hasta el Viejo Continente. En el diario escribió las coordenadas para encontrar el sitio donde está escondido...

–... ¡el Tesoro de los Tres Pecios! –intervino exaltada la capitana Lutesse.

En el resplandor de la noche azotada por el viento, los Lobitos intercambiaron una mirada.

–¿El Tesoro de los Tres Pecios? –preguntaron a coro.

–¡Sí es el tesoro más misterioso del mar de los

Satánicos! –les explicó la capitana Dolores.

–Nadie sabe a ciencia cierta de qué se trata –continuó Sorrento–, pero pronto lo descubriremos, ¡gracias a vosotros!

En ese momento vieron adelantarse al capitán Hamaca, que los miró con cara de enfado.

–¿Qué hacéis aquí todavía? –preguntó con su vozarrón–. ¡Os quiero ver en la cama ahora mismito, mañana partís rumbo a los Atolones Remotos!

Capítulo 5+1

Extenuados por la larga jornada de búsqueda, los cinco Lobitos de Mar se fueron a su nueva cabaña y cayeron rendidos en las camas. En sus rostros se dibujó una sonrisa de felicidad: aunque una vez más habían armado mil enredos, ¡el olfato que tenían para la aventura era realmente incomparable!

Nociones de piratería

La cabaña del Capitán Barracuda

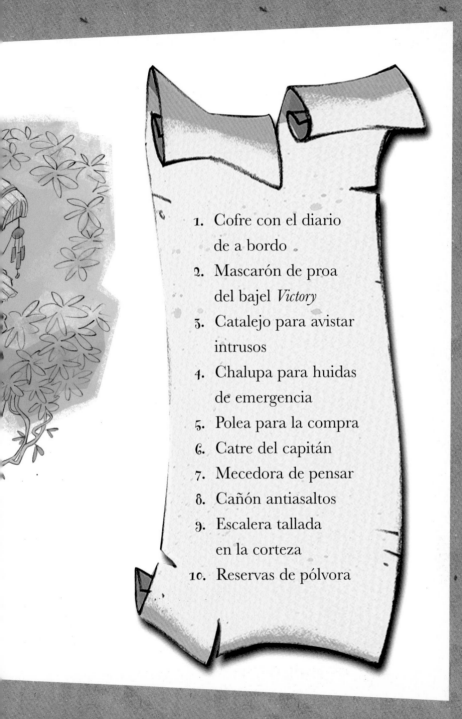

1. Cofre con el diario de a bordo
2. Mascarón de proa del bajel *Victory*
3. Catalejo para avistar intrusos
4. Chalupa para huidas de emergencia
5. Polea para la compra
6. Catre del capitán
7. Mecedora de pensar
8. Cañón antiasaltos
9. Escalera tallada en la corteza
10. Reservas de pólvora

Hundir la flota... ¡de piratas!

Se trata de un juego muy sencillo para divertiros con aquellos de vuestros amigos a quienes también les fascine el mundo de los piratas.

Hacen falta cuatro cuadrículas (dos por jugador) de 10×10 casillas. Cada casilla de la cuadrícula se identifica con una letra según la fila y con un número según la columna.

Antes de empezar

Lo primero que han de hacer los jugadores es «posicionar los navíos» y señalarlos en una de las dos cuadrículas (que mantendrán ocultas durante toda la partida). Cada «navío» ocupa un número determinado de casillas seguidas en línea recta (horizontal o vertical). Los navíos no pueden solaparse ni tocarse, ni siquiera por los extremos. Son 7 navíos y tienen los siguientes nombres:

2 navíos de 1 casilla: BERGANTÍN
2 navíos de 2 casillas: MERCANTE
2 navíos de 3 casillas: GALEÓN
1 navío de 4 casillas: VELERO

¿Cómo se juega?

Se juega por turnos. Uno de los jugadores «dispara un cañonazo» escogiendo una casilla (B-5, por ejemplo). El adversario comprueba en su propia cuadrícula si la casilla está ocupada por un navío. En caso afirmativo, responde «¡tocado!» y lo marca en su cuadrícula; en caso negativo, responde «¡agua!». En la segunda cuadrícula los jugadores apuntan los cañonazos que han disparado y los resultados. Cuando un disparo alcanza la última casilla de un navío que todavía no ha sido hundido del todo, el jugador que sufre el disparo tiene que decir «¡tocado y hundido!», y pierde así el navío. Gana el jugador que hunda primero todos los navíos del adversario.

Una brújula casera

¿Queréis ver cómo funciona una brújula hecha con pequeños objetos que todos tenemos en casa? Basta con un experimento sencillísimo… pero ¡cuidado, no os pinchéis!

¿Qué hace falta?
Una aguja, un imán, un trozo de poliestireno y un recipiente con agua.

¿Cómo se hace?
1. Frotad la aguja contra el imán. Así como dicen los científicos, quedará imantada.
2. Pinchad la aguja en el poliestireno.
3. Meted el trozo de poliestireno en el recipiente lleno de agua y dejadlo flotar. La aguja empezará a dar vueltas levemente hasta detenerse apuntando hacia el norte. ¡Ya tenemos hecha la brújula!

¿Es verdad que funciona?
Si probáis a girar el recipiente del agua, veréis que la aguja vuelve siempre a la misma posición. Parece magia, pero es verdad de la buena…

Índice

La Escuela de Piratas

HARRIS COUNTY PUBLIC LIBRARY
HOUSTON, TEXAS